니나와 나누

글 ● 노베르트 란다 Norbert Landa
그림 ● 한네 퇴르크 Hanne Türk

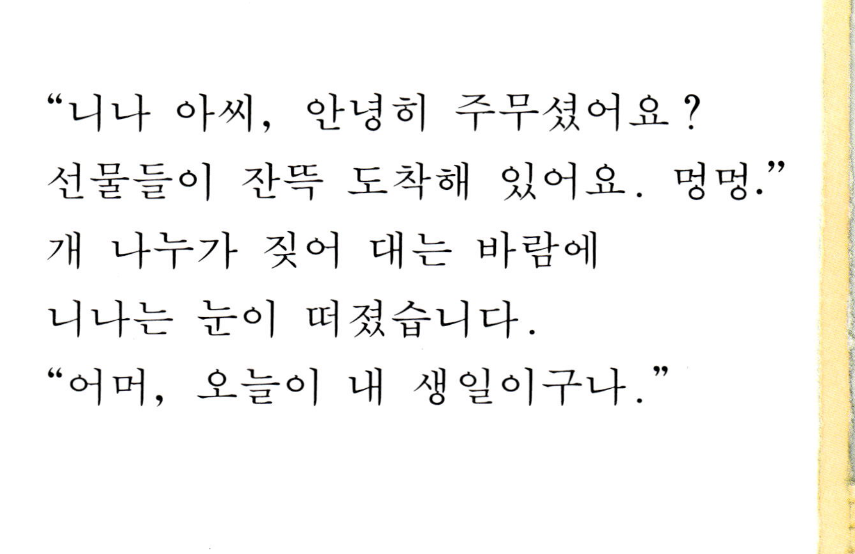

"니나 아씨, 안녕히 주무셨어요?
선물들이 잔뜩 도착해 있어요. 멍멍."
개 나누가 짖어 대는 바람에
니나는 눈이 떠졌습니다.
"어머, 오늘이 내 생일이구나."

생일 선물이 뭘까?
니나가 제일 좋아하는 초코 볼,
예쁜 줄무늬 바지,
예쁜 줄무늬 공,
그리고 갖가지 색의 그림 물감.
"다 내가 좋아하는 것들이야. 아이, 좋아."

줄무늬 바지를 입고, 한쪽에는
공을 들고 거울에 비춰봅니다.
"예쁜 줄무늬는 너무 멋져!
…아, 참, 미안해, 나누.
넌 새하얀 색이지?"

니나는 큰 종이에 예쁜 그림 물감으로
무언가 그리기 시작합니다.
“멍멍, 니나 아씨, 무얼 하는 거예요?”
“잠깐만 기다려, 곧 알게 될 거야.”

니나가 종이에 그린 건 예쁜 줄무늬였습니다.
"자, 됐어. 나누, 이리 와."
니나는 예쁜 줄무늬 종이를
나누의 몸에 빙글 돌려 감은 뒤,
풀로 찰싹 붙였습니다.

"나누, 부끄러워하지마.
거울을 보렴.
멋진 나누가 보이지?"

“우리는 새롭고 멋진
줄무늬 옷을 입고 있어.
야호, 산책 나가자.”
“멍멍, 좀 부끄러운데.”

니나와 나누가 공원에 도착하자,
공원에 있는 사람들은 깜짝 놀랍니다.
"어머머, 이상한 개도 다 있네."
"줄무늬가 참 예쁘다."
니나는 우쭐해서 "나누, 자, 공을 던질게."

수우욱 날아가는 공을
수우욱 쫓아가는 나누.

소풍 나온 사람들이 놀라서
"저것 좀 봐.
예쁜 줄무늬 공이
날아가고 있어."
"어머, 이번엔 줄무늬 개가
날아가듯 달려가네."

예쁜 줄무늬 공은 수우욱, 수우욱 날아가서는……
백조들이 모여 있는
한가운데 퐁 하고 떨어졌습니다.
"멈춰 공아, 멈춰 나누."
니나가 소리치며 뒤쫓아갑니다.

…결국 공은 연못 속으로 퐁당.
나누는 연못에 뛰어들어 공을 쫓아갑니다.
"저런 안 돼, 물에 들어가면 안 돼, 나누.
네 옷은 종이잖니!"

"니나 아씨, 공 여기 있어요. 멍멍."
"고마워, 나누."
"애써 만들어 준 옷을
엉망으로 만들어 미안해요. 멍멍.
공이 종이로 되어 있지 않은 게 다행이에요. 멍멍."

"나누, 너무 풀이 죽으면 안 돼.
집에 돌아가서 더 예쁜 색으로 옷을 만들어 줄게."
"니나 아씨, 이젠 옷이 필요없어요. 멍멍.
백조들도 새하얗지만 그대로 예쁘잖아요.
저도 하얀 색 그대로가 좋아요. 멍멍멍."

"기념으로 네 모습을 그려 줄게."
니나가 이렇게 말하자
나누가 뭐라고 한 줄 아세요?
"그 그림 저에게 주세요. 멍멍.
니나 아씨 생일 선물도 아직 못 드렸잖아요.
그 그림을 선물하고 싶어요. 멍멍."

WORLD PICTURE BOOK

니나와 나누

어린이 여러분께

이제까지 많은 그림 동화를 만들어 왔지요. 이번에도 산책을 하면서 이 이야기를 생각해 냈어요. 그림 동화를 만들 때마다 어린이들이 하고 싶은 일을 생각하는 데 도움이 되었으면 해요. 이 그림 동화에서는 니나에게 있어서는 아름다운 빛깔일지라도 개 나누에게는 원래의 하양이 가장 아름답다는 것을 알리고 싶었지요.

글 ● 노베르트 란다
(Norbert Landa)

■ 1952년 오스트리아에서 태어나다.
■ 철학 대학을 마치다.
■ 자유로운 저널리스트로서 활동하고 있다.

그림 ● 한네 퇴르크
(Hanne Türk)

■ 1951년 오스트리아에서 태어나다.
■ 파리 국립미술고등학원을 마치다.
■ 그림 동화 작가.

World Picture Book ©1985 Gakken Co., Ltd. Tokyo.
Korean edition published by Jung-ang Educational Foundation Ltd. by arrangement through Shin Won Literary Agency Co. Seoul, Korea.

■ 발행인 / 장평순 ■ 편집장 / 노동훈
■ 편집 / 박두이, 김옥경, 이향숙, 박선주, 양회숙, 김수열, 강혜숙
■ 제작 / 이해덕, 문상화, 장승철
■ 발행처 / 중앙교육연구원(주)(서울시 종로구 관철동 258번지)
대표전화 / 735-9600, 등록번호 / 제2-178호
■ 인쇄처 / 갑우문화주식회사(서울특별시 영등포구 양평동 1가 119번지)
■ 제본 / 태성제책(주)(서울특별시 구로구 가리봉동 505-13)
■ 1판 1쇄 발행일 / 1988년 12월 30일, 1판 16쇄 발행일 / 1996년 10월 20일
■ ISBN 89-21-40249-7, ISBN 89-21-00003-8(세트)